folio cadet ■ premières lectures

Traduction d'Hélène Diane
Maquette : Barbara Kekus

ISBN : 978-2-07-062745-5
Titre original : *Funny Bones : Dinosaur Dream*
Publié pour la première fois par William Heinemann Ltd., Londres
© Allan Ahlberg 1991, pour le texte
© André Amstutz 1991, pour les illustrations
© Gallimard Jeunesse 2004, pour la traduction française, 2009, pour la présente édition
Numéro d'édition : 169224
Loi n° 49-956 du 16 juillet 1949 sur les publications destinées à la jeunesse
Dépôt légal : septembre 2009
Imprimé en France par I.M.E.

Les Bizardos
rêvent de dinosaures

Allan Ahlberg • André Amstutz

GALLIMARD JEUNESSE

Dans une sombre, sombre rue
se dresse une haute, haute maison.
Dans cette haute, haute maison
se trouve une sombre, sombre cave.
Dans cette sombre, sombre cave,
il y a un lit confortable, confortable,
et dans ce lit confortable, confortable...

...trois squelettes dorment.
Le grand squelette rêve de dinosaures.
– Je connais des dinosaures qui courent.
Mais pas avec des patins à roulettes,
dit-il en dormant.

Dans son rêve, le petit squelette
est poursuivi par un petit dinosaure.
- Gare à vous ! dit le dinosaure.
- Espèce de fossile ! lui répond
le petit squelette.
- Grr ! gronde le dinosaure.
- Au secours ! crie le petit squelette.
Et il s'enfuit.

Le petit squelette rêve aussi
de dinosaures.
– Je connais des dinosaures
qui nagent. Mais pas avec
des bouées ! dit-il.

Dans son rêve, le grand squelette est poursuivi par un très grand dinosaure.
- Gare à vous ! dit le dinosaure.
- Vous n'êtes même pas vrai, lui répond le squelette.
- Grr ! gronde le dinosaure.
- Au secours, crie le grand squelette.
Et il s'enfuit.

Le squelette chien rêve aussi
de dinosaures.
Dans son rêve, le petit squelette
est poursuivi par le petit dinosaure
et le grand squelette, par
le gros dinosaure.

2

Le squelette chien aboie
après les dinosaures :
– Ouah !
Et il les poursuit.
– Oh ! là, là ! dit le grand squelette.
– Oh ! là, là ! dit le petit squelette.
– Donne un os au chien ! dit le grand
squelette.

Et les dinosaures courent au loin.

Et les dinosaures nagent au loin.

Et les dinosaures s'envolent au loin.

Mais le squelette chien les retrouve
et les poursuit encore.
Les dinosaures ont peur
et ne regardent pas où ils vont.
Soudain, il y a un énorme bruit
et un très grand, très gros...

... et qui les poursuit.

3

Enfin, le grand squelette et le petit
squelette se réveillent.
Ils se frottent les yeux,
font craquer leurs articulations
et se racontent leur rêve.

– J'ai fait un rêve de dinosaures,
dit le grand squelette, et tu y étais.
– Non, je n'y étais pas, répond le petit
squelette, c'est toi qui étais dans mon rêve.
Puis le grand squelette dit :

– Et maintenant, on fait quoi ?
– Allons promener le chien,
fait le petit squelette.
– Quelle bonne idée ! s'exclame
le grand squelette.

Mais le chien squelette n'a pas envie d'aller se promener. Il dort encore. Il a un os de rêve dans sa gueule, en rêve...

CARNOSAURUS REX

... et ne veut pas être dérangé.